9-12 ANS

les grands docs

Égypte et pharaons

Textes de Brigitte Balmes
Illustrations d'Aurélie Grand

MILAN

Égypte et pharaons

Grâce au Nil, la vie a pu se développer en Égypte.

L'Égypte : un don du Nil

Située dans le nord-est de l'Afrique, l'Égypte est un immense désert de sable et de rochers. Heureusement, le pays est traversé par l'un des plus longs fleuves du monde : le Nil. Grâce à lui, la vie a pu se développer dans cette région inhospitalière où il ne pleut presque jamais. C'est le long des rives du Nil, sur une étroite bande de terre fertile et verdoyante, qu'est née, il y a plus de 5 000 ans, la fascinante civilisation de l'Égypte ancienne.

L'égyptologie naît au XIXe siècle.

18 siècles d'oubli

En 30 av. J.-C. disparaît la célèbre Cléopâtre, dernier pharaon d'Égypte. Le pays devient alors une province romaine. La civilisation de l'Égypte antique s'efface progressivement des mémoires... Elle sera redécouverte à la suite d'une expédition militaire menée par Bonaparte, en 1798. Les nombreux scientifiques qui accompagnent l'expédition s'attacheront à étudier et à décrire les vestiges de cette civilisation oubliée.

Bonaparte face aux pyramides de Gizeh.

Naissance de l'égyptologie

À leur retour d'Égypte, les savants partis avec Bonaparte publient un livre intitulé *Description de l'Égypte*. Ce travail éveille la curiosité et l'enthousiasme de nombreux artistes, archéologues, savants, aventuriers… Tous vont tenter de percer les secrets de l'Égypte des pharaons. Ce nouveau champ de recherches, l'égyptologie, se développe rapidement.

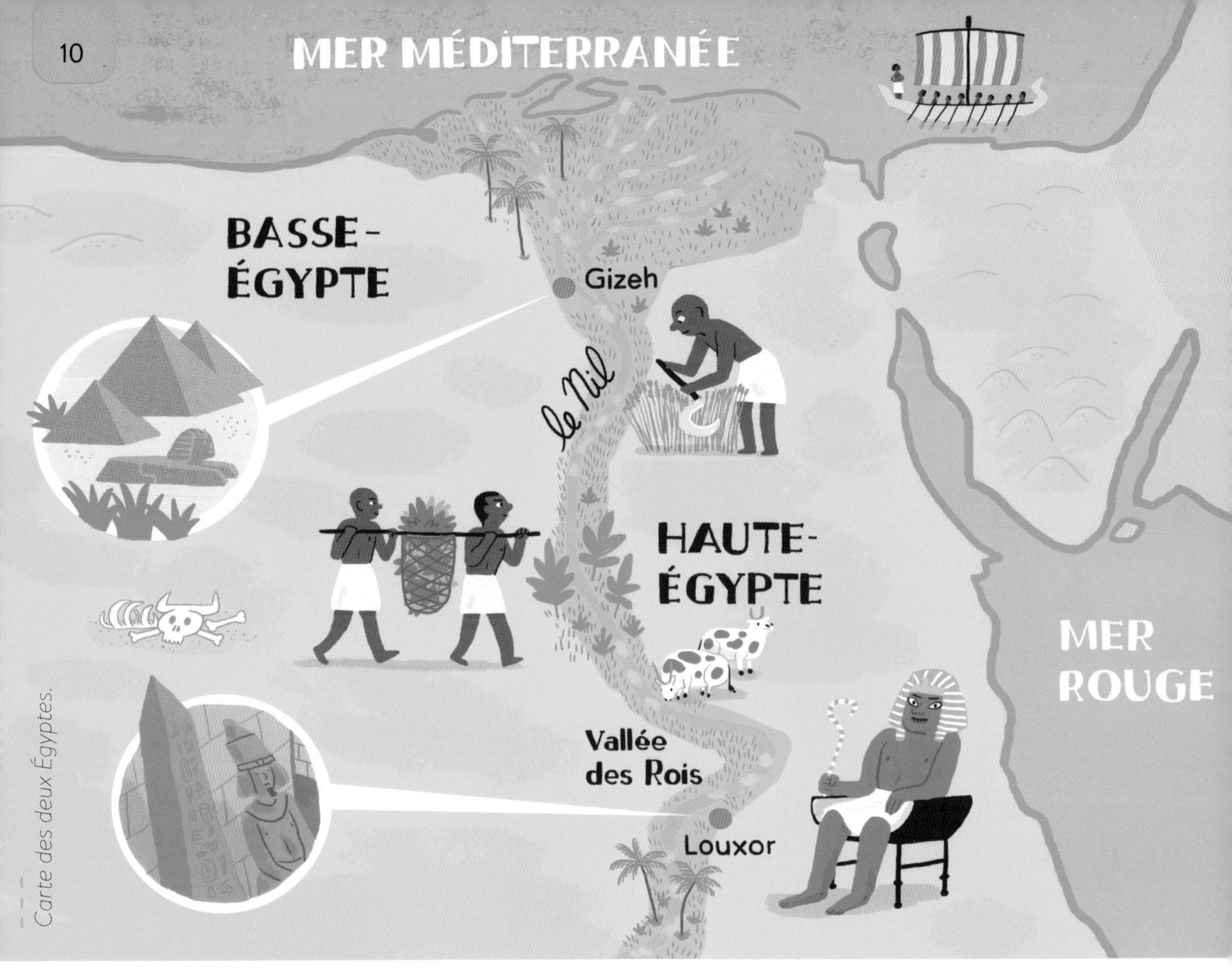

Carte des deux Égyptes.

Deux terres... un royaume, un pharaon !

Vers 3500 av. J.-C., les Égyptiens sont installés tout le long de la vallée du Nil. Les premières villes apparaissent, mais la majorité de la population reste rurale, tirant ses ressources de l'agriculture et de l'élevage. À cette époque, le pays est divisé en Haute et Basse-Égypte. Dans le Nord, autour du delta du Nil, de nombreux petits États princiers constituent la Basse-Égypte. Dans le Sud, le roi Narmer règne sur l'ensemble de la Haute-Égypte.

Le roi Narmer est le premier pharaon de tous les Égyptiens.

L'unification par Narmer

Malgré leurs différences, les Égyptiens du Nord et du Sud partagent une culture et des croyances communes. Vers 3100 av. J.-C., grâce à ses alliances avec certains des chefs du delta, le roi de Haute-Égypte s'impose par la force dans toute la Basse-Égypte. Narmer devient le premier pharaon du Pays des Deux Terres, désormais unifié, et fonde la ville de Memphis, future capitale.

Détail de la palette de Narmer.

On devient pharaon de père en fils.

30 siècles de pharaons

« Pharaon » vient de l'égyptien *peraa* (grande maison), le nom qui désignait le palais royal. Le titre de pharaon se transmet de père en fils, les pharaons d'une même famille constituent une dynastie. Après Narmer (aussi appelé Ménès), plus de trente dynasties de pharaons vont se succéder à la tête du pays, pendant quelque 3000 ans !

Le pschent, symbole des deux Égyptes unifiées.

Le pschent, symbole d'unité

Le jour de son couronnement, le pharaon reçoit les attributs liés à son pouvoir. Sa double couronne, le *pschent*, symbolise aux yeux de tous son autorité sur les « Deux Pays ». Elle réunit la couronne rouge de la Basse-Égypte, ornée d'un cobra, et la couronne blanche des rois de la Haute-Égypte.

Le pharaon égal des dieux

Le dieu faucon Horus protège le pouvoir royal.

Dans l'Égypte ancienne, le pharaon est le maître absolu. Aux yeux des Égyptiens, il est le successeur du dieu Horus et un descendant de Rê, le dieu-soleil créateur de l'Univers. Intermédiaire entre les divinités et les hommes, il a pour charge de maintenir l'ordre du monde. Roi et divinité adorée de son peuple, qu'il a le devoir de protéger, il doit faire régner la justice. Le royaume entier lui appartient. Il en est le chef politique, militaire et religieux.
Son pouvoir est sans limites.

Le pharaon descend de Rê, dieu-soleil créateur de l'Univers.

Le vizir supervise la récolte.

Une administration efficace

L'Égypte est un vaste pays difficile à gouverner. Le pharaon dispose donc d'une administration puissante dirigée par un vizir. Sorte de Premier ministre, le vizir est chargé de veiller à la bonne marche du pays. Sous son autorité et celle des gouverneurs de province, les fonctionnaires collectent les taxes et les impôts, surveillent les récoltes, l'entretien des canaux d'irrigation... Ils supervisent aussi les nombreux chantiers de construction et rendent la justice.

Premier prêtre du royaume

Le rôle essentiel du pharaon est de veiller au bien-être et à la satisfaction des dieux. En retour, ces derniers comblent le royaume de leurs bienfaits. Le pharaon seul a le droit de s'occuper du culte, mais il ne peut pas être partout ! Alors, il nomme des prêtres qui l'aident à servir les dieux.

La reine Hatchepsout porte ici la fausse barbe des pharaons.

Pharaon et femme !

En règle générale, le pharaon est un homme. Quelques femmes, pourtant, ont exceptionnellement occupé cette fonction. Cléopâtre VII est sans nul doute la plus célèbre ! Mais celle qui a exercé le pouvoir le plus longtemps est la reine Hatchepsout. Après la mort de son époux, le pharaon Thoutmosis II, elle va régner 22 ans.

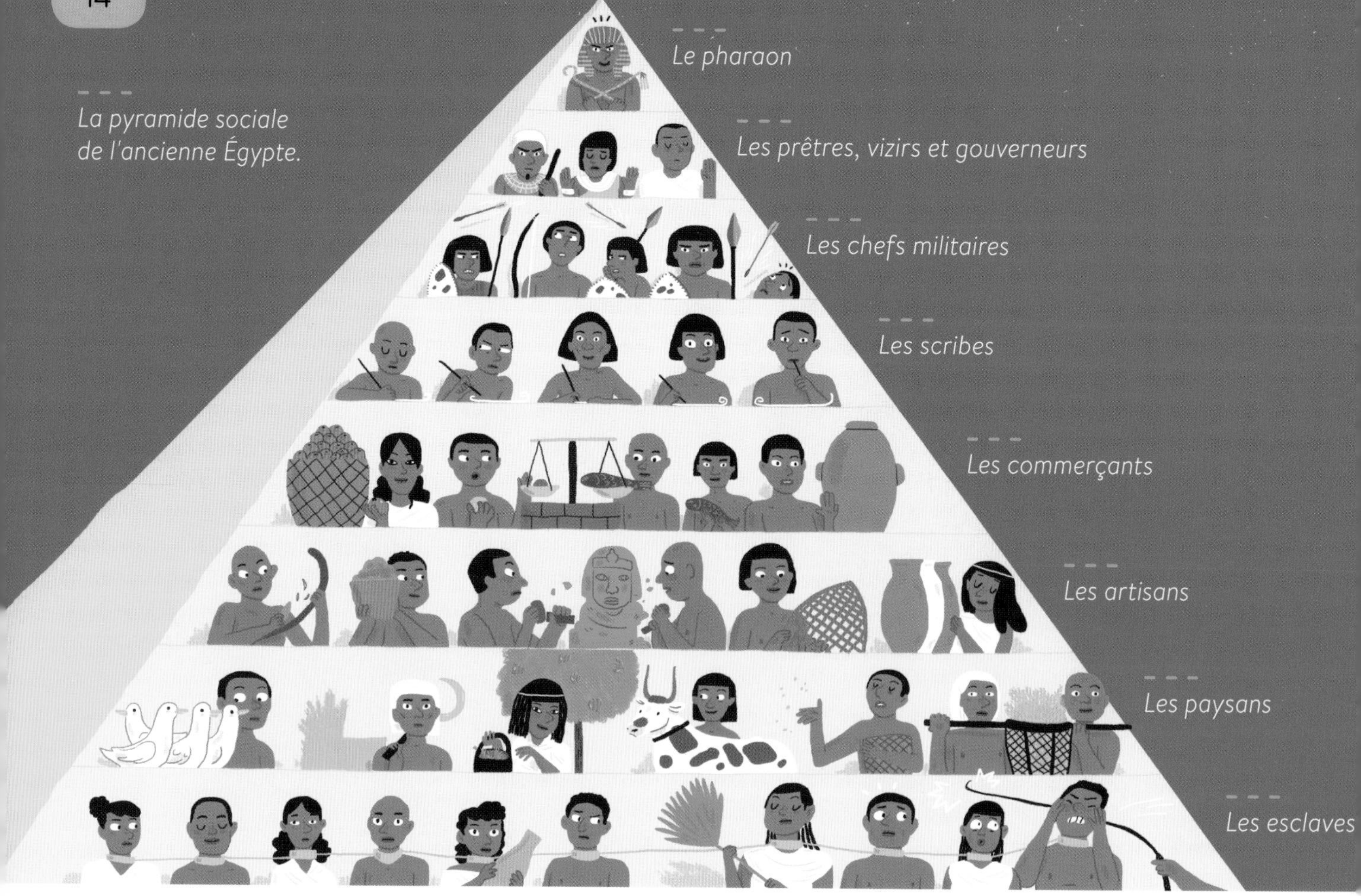

La pyramide sociale de l'ancienne Égypte.

Le pharaon

Les prêtres, vizirs et gouverneurs

Les chefs militaires

Les scribes

Les commerçants

Les artisans

Les paysans

Les esclaves

Une pyramide... sociale !

Symbole de l'Égypte pharaonique, la pyramide reflète l'organisation de la société. À la base, se trouve l'essentiel de la population : soldats, petits commerçants, artisans et paysans (les plus nombreux) vivent dans des conditions difficiles et travaillent dur. Au-dessus d'eux se situe la petite classe de privilégiés : puissants et riches exercent les fonctions importantes de prêtres, vizirs, chefs militaires, gouverneurs des provinces, scribes. Quant au pharaon, il trône... au sommet !

À la base de la société égyptienne se trouvent notamment les artisans.

L'apprentissage des futurs scribes est difficile.

Aller à l'école : un privilège

Pour travailler au service du pharaon, il est utile de savoir lire, écrire et surtout compter ! Mais seuls les garçons nés dans des familles riches vont à l'école. Les autres commencent très tôt à travailler au côté de leur père. Les écoles sont généralement situées à l'intérieur des temples. La discipline est sévère et l'apprentissage, long et difficile…

Un métier enviable

La maîtrise de la lecture, de l'écriture, de la géométrie et du calcul fait du scribe un personnage précieux et respecté. Les scribes jouent un rôle central dans l'administration du pays. Ils gèrent les ressources du royaume, collectent les taxes et les impôts, rédigent les lois, écrivent des courriers, des rapports… le tout sous la protection de Thot, le dieu de l'écriture !

Le dieu Thot à tête d'ibis est le patron des scribes.

Le scribe travaille assis en tailleur.

Les outils du scribe

La palette du scribe, emblème de sa profession, est creusée d'encriers et d'un plumier dans lequel il range les calames (morceaux de roseau taillés). Le scribe en mordille la pointe pour la ramollir et l'utiliser comme pinceau. Il la trempe ensuite dans l'encre pour écrire sur un rouleau de papier fabriqué avec une plante des bords du Nil, le papyrus.

Une intense activité

Le long des rives du Nil, se concentrent la plupart des activités des Égyptiens. Artisans et agriculteurs travaillent dur du lever au coucher du soleil.

Le briquetier fait sécher ses briques de terre cuite au soleil.

Quels sont les **pouvoirs** du pharaon ?

Quel **dangereux reptile** orne la couronne du pharaon ?

Quel titre porte le **Premier ministre** du pharaon ?

Pourquoi les **scribes** ont-ils une place si importante dans la société égyptienne ?

Quelle activité pratiquée par les Égyptiens sur le **Nil** fournit d'importantes ressources alimentaires ?

Sauras-tu retrouver ces éléments dans la grande image ?

- **Le *pschent*.**
- **La palette** du scribe.
- **Un paysan.**
- **Le Nil.**

Réponses en page 45.

L'écriture, cadeau divin

L'Égypte antique est l'une des premières civilisations à utiliser l'écriture. C'est une combinaison de signes et de dessins, les hiéroglyphes, offerts aux hommes par le dieu Thot, patron des scribes. En raison de leur caractère divin, les hiéroglyphes sont réservés aux textes sacrés et aux inscriptions religieuses gravées sur les stèles, dans les temples ou les tombeaux. Pour rédiger les écrits utilitaires et administratifs, les scribes emploient une écriture simplifiée, le hiératique, puis le démotique.

Seuls les textes sacrés sont écrits en hiéroglyphes.

L'écriture hiéroglyphique fonctionne comme un rébus.

Un système compliqué

Le système d'écriture hiéroglyphique est très complexe. Pour le maîtriser, le scribe doit connaître au minimum 750 hiéroglyphes... Chacun correspond à un mot, une idée ou un son. C'est en les associant comme dans un rébus que l'on peut écrire un texte en lignes, en colonnes, de gauche à droite, de droite à gauche, ou de haut en bas !

Mystère résolu !

Après la disparition des pharaons, l'écriture hiéroglyphique se perd progressivement. Bientôt, plus personne n'arrive à la déchiffrer. Des siècles plus tard, l'expédition de Bonaparte fait une découverte capitale, la pierre de Rosette. Trois versions du même texte y figurent : en écriture hiéroglyphique, en démotique et en grec. Grâce à elle, le savant Jean-François Champollion parviendra enfin à percer le mystère des hiéroglyphes !

La pierre de Rosette a permis de déchiffrer la mystérieuse écriture égyptienne.

La principale ressource de l'Égypte pharaonique est l'agriculture.

La rude vie des paysans

L'agriculture est la principale ressource de l'Égypte ancienne. Les paysans constituent l'essentiel de la population, mais ils ne possèdent pas la terre qu'ils cultivent. Leur travail est pénible et leur vie, difficile : ils produisent des richesses dont ils profitent très peu. Avant chaque récolte, les fonctionnaires de l'État fixent le montant de l'impôt et la part de la moisson qui revient au propriétaire des terres. Ce qui reste au cultivateur suffit tout juste à nourrir sa famille. Heureusement, il y a aussi la chasse et la pêche !

Des scribes enregistrent la récolte des paysans.

Une agriculture variée

Le paysan quitte très tôt sa maison en brique séchée pour aller travailler dans les champs. Il cultive surtout le blé et l'orge, qui servent à fabriquer le pain et la bière, présents à tous les repas. Il fait aussi pousser des légumes, de la vigne et du lin, utilisé pour tisser les vêtements. Les plus fortunés élèvent parfois pour leur propre compte quelques animaux (vaches, moutons, chèvres et volaille), qui leur fournissent de la viande et du lait.

L'élevage et la pêche complètent les ressouces de l'agriculture.

Le Nil comme calendrier

La crue du Nil rythme les trois saisons de la vie agricole. Chaque année, entre mi-juillet et mi-novembre, c'est le temps d'*akhet* : le fleuve déborde et inonde la vallée. Lorsque l'eau se retire, vient *peret*, le moment des semailles. On laboure et ensemence la terre fertilisée par le limon. Puis, à la mi-mars, commence l'époque de la moisson : *shemou*.

Les artisans travaillent dur.

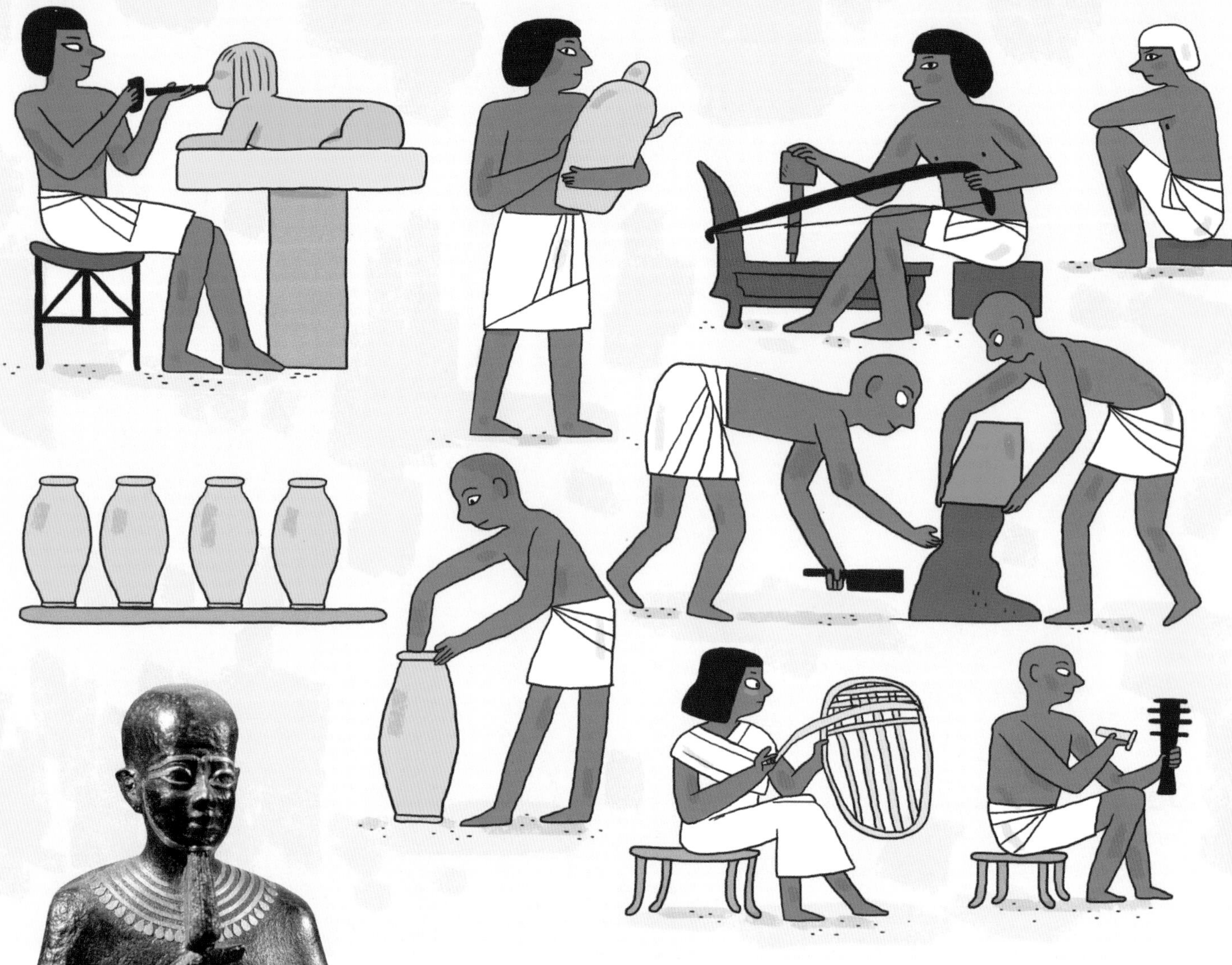

Artisans du quotidien

Le sort des artisans et ouvriers de la société égyptienne est à peine meilleur que celui des paysans. Pour fabriquer les objets du quotidien, les artisans se regroupent dans des ateliers. Là, ils travaillent le cuir, la terre, le bois, la pierre, les métaux... tandis que de nombreux ouvriers sont employés dans les mines et sur les chantiers de construction. Le tissage et la vannerie sont des activités réservées aux femmes. Elles filent et tissent le lin, fabriquent des paniers, des corbeilles, des nattes...

La divinité Ptah protège les artisans.

Difficile de travailler en plein soleil.

Cette statuette en or du faucon Gemhesu vient du trésor de la tombe de Toutankhamon, à Thèbes.

Briquetier, dur métier !

Un des métiers les plus pénibles est celui de briquetier. Le travail ne manque pas : toutes les maisons d'Égypte sont construites en brique crue. Chaque jour, sous un soleil de plomb, les ouvriers composent un mélange de boue et de paille qu'ils déversent dans des moules en bois. Une fois démoulées, les briques ne sont pas cuites, on les met juste à sécher... au soleil !

De vrais artistes

Certains artisans sont de véritables artistes. Leur talent est très apprécié du pharaon et de la haute société égyptienne. Peintres, sculpteurs et ébénistes travaillent à la décoration et à la fabrication du mobilier des temples, des tombeaux et des palais. Orfèvres et joailliers réalisent les magnifiques bijoux dont les Égyptiens aiment se parer.

Le commerce se fait sous forme de troc.

Au marché

Dans les villes et les villages, les marchés sont d'importants lieux de rendez-vous. On y trouve les aliments de base et la production des artisans. Pour faire ses courses, pas besoin de porte-monnaie ! Les Égyptiens n'utilisent pas d'argent. Le commerce local se fait sous forme de troc : on échange ses produits contre d'autres, de valeur équivalente.

Une multitude de dieux

Pour le peuple égyptien, la religion est indissociable de la vie quotidienne. Le monde a été créé par Atoum-Rê, le dieu-soleil. Les divinités sont partout. Il y en a des centaines. Chaque ville, chaque élément de la nature, chaque chose a la sienne... Il y a un dieu de l'écriture, un dieu des morts, une déesse de l'amour, de la magie, de la justice... Les dieux sont souvent représentés avec un corps d'homme et une tête d'animal. Certains, comme Seth, sont particulièrement redoutables...

Rê

--- Rê est le dieu-soleil, le créateur. C'est le plus important de tous, il est vénéré dans toute l'Égypte. Chaque jour, il traverse le ciel d'est en ouest dans sa barque sacrée. La nuit, il parcourt le monde des ténèbres, domaine du serpent Apophis. Il prend la forme d'un homme à tête de faucon, coiffé du disque solaire autour duquel s'enroule le serpent *uræus*. Dans les mains, il tient la croix *ânkh*, sym-

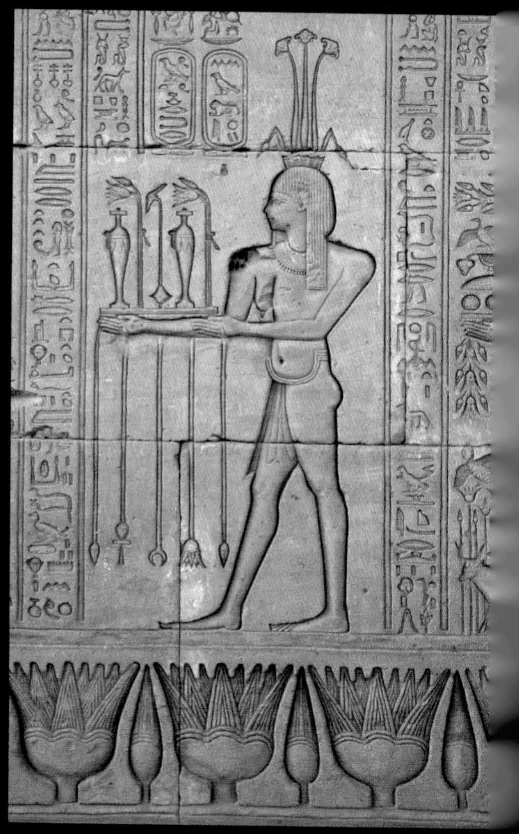

Hâpy

--- Hâpy est le dieu du Nil en crue. Il personnifie les richesses et les bienfaits apportés par le fleuve au peuple égyptien. Grâce à lui, tous les ans, le Nil déborde et fertilise les terres cultivées. Hâpy est représenté comme un homme au ventre rebondi, doté d'une poitrine féminine, symbole de fécondité et d'abondance. Il est coiffé de plantes aquatiques comme le papyrus et le lotus.

Isis

--- Épouse d'Osiris et mère d'Horus, Isis est la déesse de la magie, de la vie et de la fécondité. Elle a reconstitué et momifié le corps de son époux, Osiris, coupé en morceaux par Seth. Associée aux rites funéraires, elle veille sur les défunts. Elle est coiffée du signe hiéroglyphique du trône ou d'un disque solaire entouré d'ailes de vautour et de cornes.

Osiris

--- Époux de sa sœur Isis, Osiris est pacifique et bienveillant. Il a d'abord été le dieu de la fertilité et de la végétation. Assassiné par son frère Seth avant d'être ressuscité par Isis, il est devenu le dieu de la renaissance et règne sur le royaume des morts. On le représente comme un homme momifié au visage vert ou noir. Il porte la barbe postiche, symbole d'immortalité, et la couronne *atef*, flanquée de deux plumes d'autruche.

Horus

--- Fils d'Isis et d'Osiris, Horus est le dieu du ciel. Ses yeux sont le soleil et la lune. Il a été le dernier des dieux à régner sur l'Égypte avant que ce pouvoir soit confié aux pharaons. Il est représenté sous la forme d'un homme à tête de faucon et paré de tous les attributs des pharaons, dont il est le protecteur.

Seth

--- Seth est la divinité du désert, des orages et du tonnerre. Il veut détruire l'harmonie du monde et sème la violence et le mal. Jaloux, il a tué son frère Osiris pour s'emparer de son royaume. Pourtant, grâce à son aide, le dieu-soleil Rê parvient chaque nuit à vaincre le serpent Apophis et à reprendre sa course dans le ciel. Seth possède une tête d'animal au museau effilé, de longues oreilles aux extrémités carrées et une queue fourchue.

Maât déploie ses ailes protectrices, apportant la paix et l'équilibre.

Honorer les divinités

Pour maintenir l'ordre cosmique représenté par la déesse Maât, le pharaon a besoin de l'aide des dieux. Il est donc essentiel de les honorer, jour après jour, afin de s'attirer leur bienveillance. Partout dans le pays, le pharaon entretient et fait construire des temples somptueux consacrés aux divinités. Là où il se trouve, le pharaon accomplit lui-même les rites. Dans le reste du royaume, les prêtres qu'il a désignés célèbrent le culte en son nom.

Le pharaon porte des offrandes au dieu Horus.

À chaque dieu sa maison

Le temple égyptien est la maison du dieu sur terre. Il est protégé du monde extérieur par un imposant mur d'enceinte, car c'est un lieu sacré. Il possède de nombreuses salles, une cour, des jardins, un plan d'eau, des ateliers, des logements... À l'arrière, dans la partie la plus sacrée, une chapelle abrite la statue de la divinité qui vit là. Hormis le pharaon et les prêtres, personne ne peut y pénétrer.

Le grand prêtre accomplit des rituels dans le sanctuaire.

Le réveil de la divinité

Chaque matin, dans chaque temple d'Égypte, le grand prêtre chargé du culte accomplit les rituels. Avant de commencer, il observe des règles de purification très strictes. Au lever du soleil, il pénètre dans le sanctuaire. Il prononce les mots qui réveillent la divinité, dépose devant sa statuette offrandes et nourriture, puis il l'habille et la parfume.

L'un des deux obélisques du temple de Louxor se trouve à Paris.

Un temple somptueux

Le temple de Louxor, réalisé par le célèbre architecte Amenhotep, est situé à l'emplacement de l'ancienne capitale de Thèbes. Devant la porte monumentale encadrée de colosses qui donne accès aux cours et au sanctuaire, se trouve un obélisque. Autrefois, il y en avait un second… La France l'a reçu en cadeau après la découverte de Champollion. On peut maintenant le voir place de la Concorde, au cœur de Paris !

Le royaume des morts

Pour les anciens Égyptiens, la mort n'est qu'une transition. Après le décès, le corps est embaumé pour assurer sa parfaite conservation, nécessaire à la vie dans l'au-delà. Mais seuls les plus riches ont accès à la momification. Après, tout dépend du jugement d'Osiris, le dieu des morts. Si le verdict est favorable, l'âme entame le périlleux voyage vers le royaume des morts, où elle vivra dans son corps momifié pour l'éternité. Dans cette optique, les prêtres préparent le corps et accomplissent les rites funéraires avant que la famille et les proches du défunt l'accompagnent jusqu'au tombeau.

Le pharaon Toutankhamon face au dieu Osiris.

Le dieu Rê au centre de la barque solaire dans la chambre funéraire de Ramsès Ier, (vers 1306-1304 avant J.-C).

Pour sa conservation, le corps est enveloppé de bandelettes.

La pesée du cœur permet de déterminer la pureté de l'âme.

La momification

Sous la protection du dieu Anubis, les prêtres procèdent à la momification. Après les rituels de purification, le corps est vidé de son cerveau et de ses entrailles. Il est ensuite mis à sécher dans du sel, le natron, pendant 70 jours. Puis, les prêtres le parfument et l'enveloppent de bandelettes de tissu entre lesquelles ils glissent des amulettes protectrices. Quand la momie est prête, on la dépose dans son cercueil, le sarcophage.

La pesée du cœur

Pour accéder au royaume des morts, il faut avoir une âme méritante. Afin d'en juger, Osiris place le cœur du défunt (témoignant de sa vie, de ses sentiments et de ses actes) sur l'un des plateaux d'une balance. Sur l'autre se trouve la plume de Maât, déesse de la vérité et de la justice. Si la balance est équilibrée, l'âme est pure et digne de la vie éternelle.

Le Sphinx à Gizeh.

Mystérieux tombeaux...

Pour accueillir la sépulture des pharaons, êtres d'exception d'origine divine, les Égyptiens ne pouvaient que construire des tombeaux d'exception : les pyramides. La plus ancienne, bâtie vers 2600 av. J.-C., est en forme d'escalier : la pyramide à degrés du roi Djoser. C'est l'un des tout premiers édifices en pierre du monde. Par la suite, les Égyptiens ont ajouté aux pyramides un revêtement de calcaire, leur donnant un aspect lisse qui renforçait leur perfection et leur beauté.

La pyramide à degrés du roi Djoser à Saqqarah, vers 2600 av. J.-C.

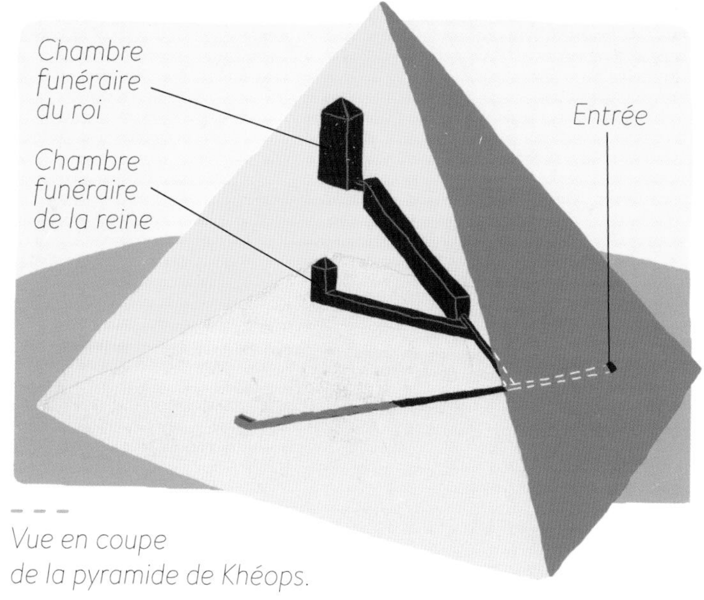

Vue en coupe
de la pyramide de Khéops.

L'une des Sept Merveilles du monde

À Gizeh, près du Caire, se trouvent les pyramides érigées pour les rois Khéops, Képhren et Mykérinos. La pyramide de Khéops, considérée par les Anciens comme l'une des Sept Merveilles du monde, est la plus monumentale. La chambre funéraire du pharaon est située au cœur du bâtiment. De longues galeries la relient aux autres pièces aménagées dans la pyramide.

Trésors pillés

Les trésors enfermés dans les pyramides ont bien sûr suscité la convoitise… Les pillages sont fréquents ! À partir du Nouvel Empire, c'est probablement ce qui conduit les pharaons à leur préférer des tombeaux souterrains, moins visibles… et plus faciles à surveiller. Les souverains sont désormais enterrés sur le site de la Vallée des Rois, près de Thèbes.

Le trône de Toutankhamon.

Vue de la première salle de la tombe de Montouemhat, nécropole de Thèbes, à Louxor.

Une vie dans l'au-delà

Dans le tombeau du pharaon sont déposés tous les objets nécessaires à sa vie dans l'au-delà. Vaisselle, meubles, somptueux bijoux, vêtements, armes, outils sont fabriqués par les meilleurs artisans du royaume. La momie a même droit à des offrandes de nourriture !

Les pyramides de Gizeh, au Caire. De gauche à droite : les pyramides de Mykérinos, Khéphren et Khéops.

Avec quel outil le scribe écrit-il ?

Quel est le nom du fleuve qui traverse l'Égypte ?

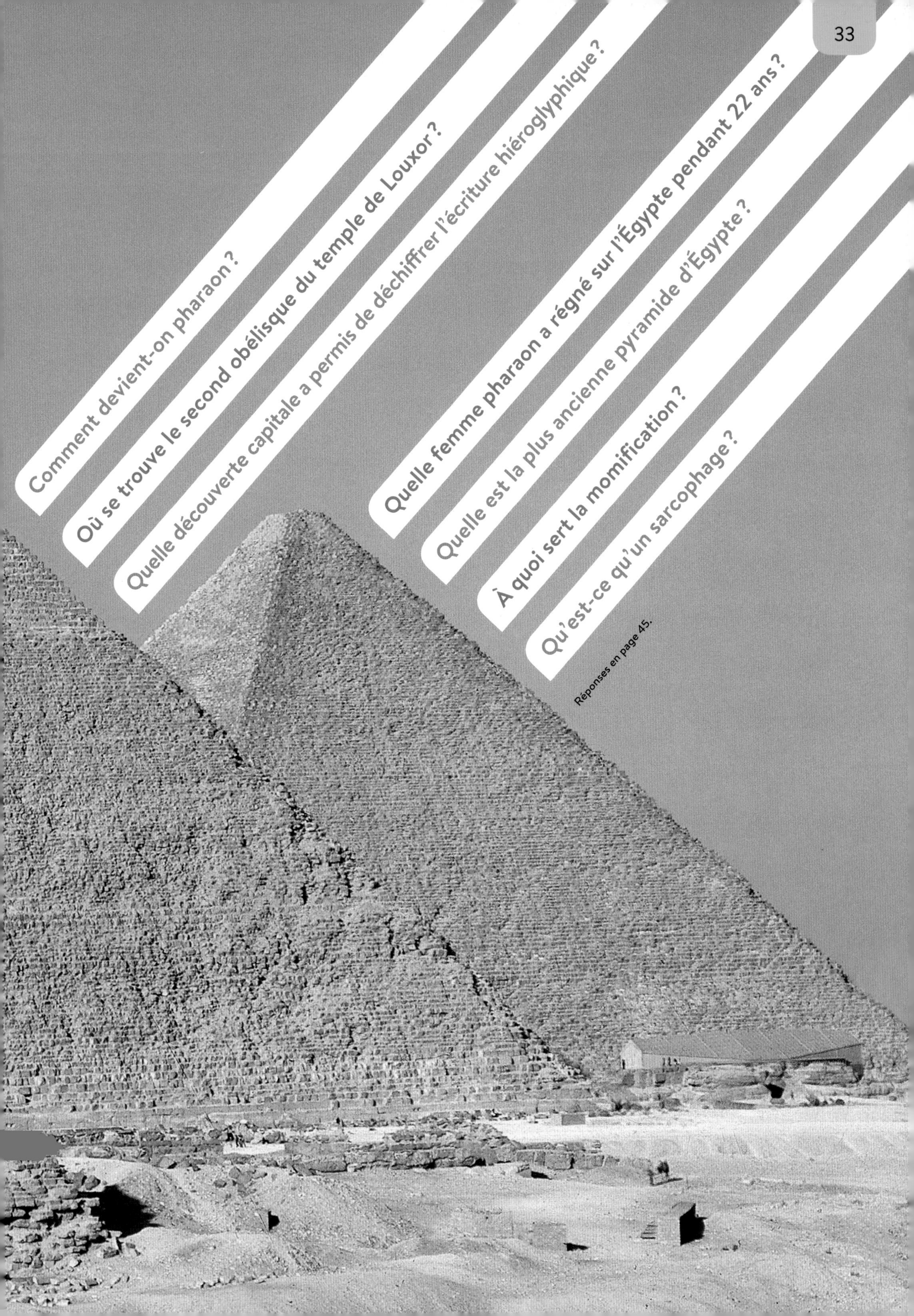

Comment devient-on pharaon ?

Où se trouve le second obélisque du temple de Louxor ?

Quelle découverte capitale a permis de déchiffrer l'écriture hiéroglyphique ?

Quelle femme pharaon a régné sur l'Égypte pendant 22 ans ?

Quelle est la plus ancienne pyramide d'Égypte ?

À quoi sert la momification ?

Qu'est-ce qu'un sarcophage ?

Réponses en page 45.

Pharaon guerrier divin

Le pharaon est le chef suprême des armées. Son devoir est de défendre l'Égypte et son peuple des invasions étrangères. Il en a le pouvoir divin. Aidé de son vizir, il veille à la sécurité des frontières, où il fait construire des forteresses pour barrer la route à l'ennemi. Mais lui seul détient le droit de décréter la guerre et d'engager des actions offensives contre les pays voisins. En cas de conflit, il est souvent en première ligne, à la tête de ses troupes. Avec courage, il mène les soldats au combat… et bien souvent à la victoire !

Seul le pharaon peut décréter la guerre.

Le pharaon est avec ses troupes sur le champ de bataille.

Les soldats, recrutés parmi les paysans en temps de guerre, sont surtout des fantassins.

Une armée temporaire

Durant l'Ancien Empire, il n'existe pas d'armée permanente. Quelques unités de soldats professionnels suffisent à assurer la protection du pharaon, des chantiers et des voies de communication. En période de guerre, on recrute les combattants parmi les paysans. Les troupes sont constituées de fantassins. Ces soldats à pied, protégés par des boucliers en bois, sont armés de poignards, de haches, de sabres, d'arcs, de javelots...

Une armée efficace

Au Nouvel Empire apparaît le char de combat, qui joue un rôle décisif dans les batailles. Un conducteur dirige l'attelage de deux chevaux, tandis qu'à l'arrière l'archer décoche ses flèches sur l'ennemi. Les pharaons disposent désormais d'une armée de métier redoutable et très organisée. Sûrs de leur puissance militaire, ils mènent une politique d'expansion et de conquêtes.

Le char joue un rôle décisif sur les champs de bataille.

Rois et reines célèbres

Durant trente siècles, les dynasties pharaoniques se sont succédé à la tête de l'Empire égyptien.
Nombre de pharaons nous ont laissé très peu de traces, mais certains d'entre eux sont devenus célèbres...
Voici quelques-uns de ceux qui ont marqué l'Histoire.

Ancien Empire

Khéops

Le règne de ce pharaon de l'Ancien Empire est assez peu connu. Khéops doit sa renommée à la construction de la plus grande des trois pyramides de Gizeh. Ce chef-d'œuvre architectural est considéré dans l'Antiquité comme l'une des Sept Merveilles du monde.

Nouvel Empire

Toutankhamon

Il est devenu l'un des pharaons les plus célèbres de l'Égypte ancienne grâce à la découverte de son tombeau, en 1922, par l'archéologue britannique Howard Carter. Contrairement à la plupart des tombes de pharaon, la sienne avait échappé aux pillages et renfermait un fabuleux trésor funéraire.

Nouvel Empire

Ramsès II

Ce pharaon du Nouvel Empire a développé une puissante armée et mené de nombreuses campagnes militaires. Son règne est aussi marqué par de grandes réalisations architecturales. Dans toute la vallée du Nil, il élève des statues colossales, des monuments et des temples couverts d'inscriptions louant ses exploits militaires. Le temple d'Abou Simbel est l'une de ses plus belles réalisations. La momie de Ramsès II, retrouvée en 1881, est aujourd'hui au musée du Caire.

Nouvel Empire

Hatchepsout

Elle est l'une des rares femmes à avoir porté le titre de pharaon d'Égypte. À partir de son couronnement, pour affirmer sa légitimité de pharaon, elle s'habille comme un homme et porte la barbe postiche. Durant son règne, elle s'attache surtout à développer les relations commerciales de l'Égypte avec les pays voisins. Elle lance aussi un vaste programme de restauration et de construction de nouveaux monuments et se fait bâtir un colossal temple funéraire à Deir el-Bahari.

Nouvel Empire

Aménophis IV - Akhenaton

Monté sur le trône vers l'âge de 16 ans, Aménophis IV décide rapidement de rompre avec les traditions religieuses de son pays. Il prend le nom d'Akhenaton et tente d'imposer dans tout le pays le culte d'un dieu unique, Aton, représenté par un disque solaire rayonnant. Son épouse, la belle Néfertiti, partage sa ferveur et l'accompagne dans ses réformes. Après la disparition d'Akhenaton, le culte des dieux traditionnels est rapidement rétabli en Égypte.

Époque ptolémaïque

Cléopâtre VII

Bien qu'elle n'ait pas porté le titre de pharaon, la célèbre Cléopâtre a régné sur l'Égypte de 51 à 30 av. J.-C. Cette femme intelligente, ambitieuse et séductrice est entrée dans la légende pour ses relations avec les généraux romains Jules César et Marc Antoine. Après la défaite de son époux Marc Antoine contre la flotte d'Octave, petit-neveu de César, lors de la bataille d'Actium, elle se suicide en 30 av. J.-C. C'est la fin de l'Égypte pharaonique, le pays devient une province romaine.

Repères chronologiques

La civilisation de l'Égypte antique a connu une longévité exceptionnelle. Pendant 3 000 ans environ, vont alterner des périodes de stabilité et de prospérité – l'Ancien, le Moyen et le Nouvel Empire – et des périodes plus troublées.

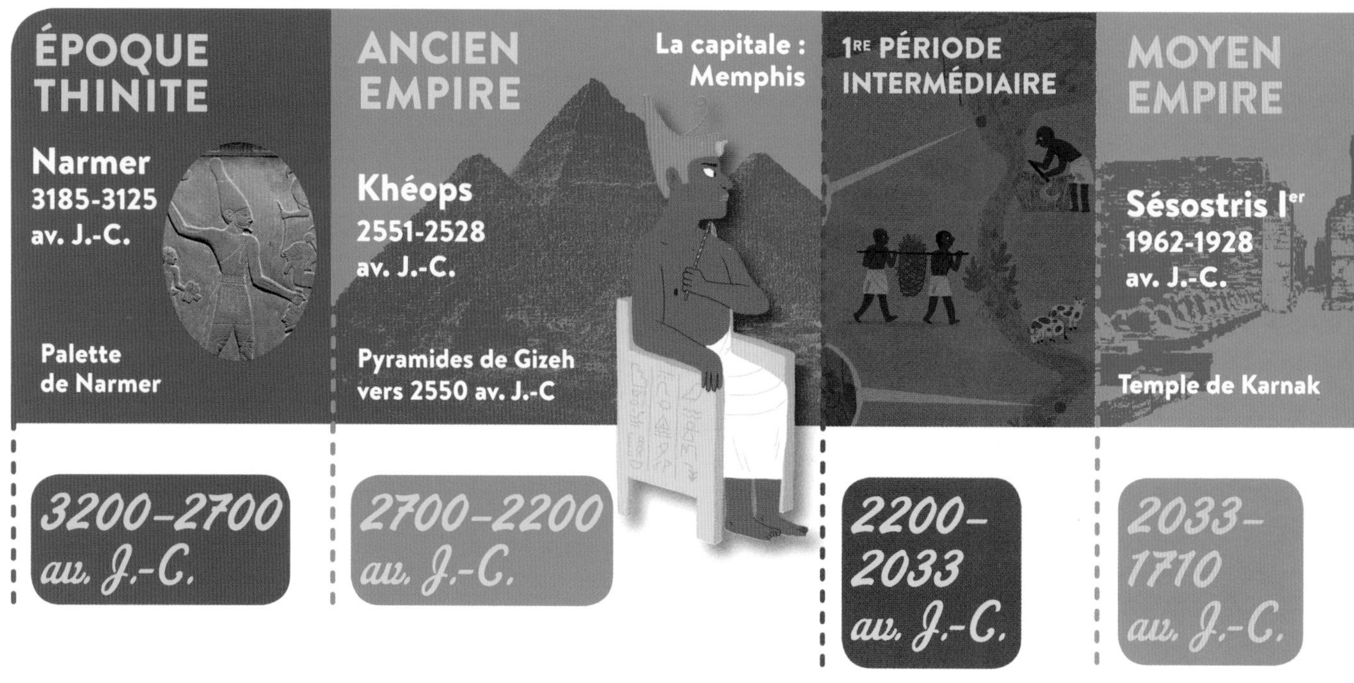

Après le Nouvel Empire débute une période d'instabilité et de décadence de l'Empire égyptien qui va tomber sous plusieurs dominations étrangères : assyrienne, perse, grecque, durant l'époque ptolémaïque, puis romaine.

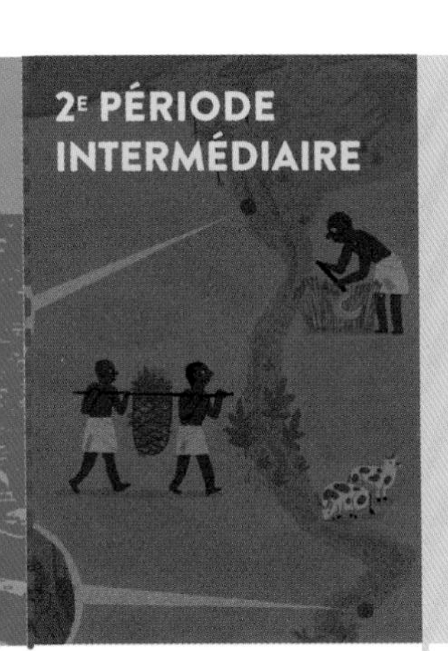

2ᴱ PÉRIODE INTERMÉDIAIRE

1710-1550 av. J.-C.

NOUVEL EMPIRE

La capitale : Thèbes

Hatchepsout
1479-1457 av. J.-C.

Thoutmosis III
1457-1425 av. J.-C.

1550-1069 av. J.-C.

BASSE ÉPOQUE

Darius Iᵉʳ
521-486 av. J.-C.

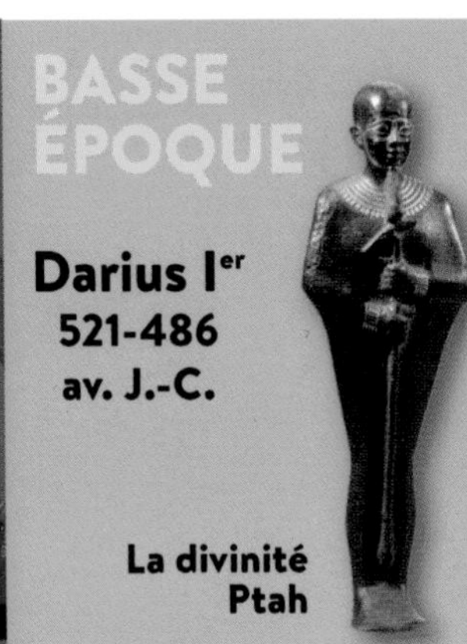

La divinité Ptah

664-332 av. J.-C.

ÉPOQUE PTOLÉMAÏQUE

Alexandre le Grand
332-323 av. J.-C.

Pierre de Rosette

Cléopâtre VII
51-30 av. J.-C.

332-30 av. J.-C.

ÉPOQUE ROMAINE

30 av. J.-C. 395

Toutes les dates données sont approximatives, elles peuvent donc varier selon les sources.

Teste tes connaissances en répondant à ces questions.

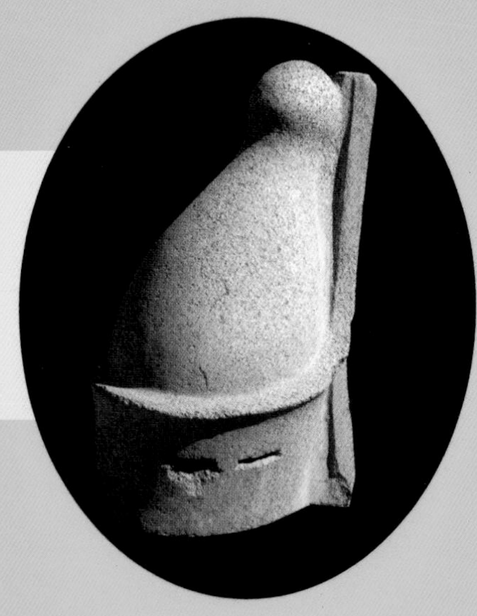

1. Comment s'appelle la double couronne du pharaon ?

a. Le *némès*.

b. Le *peraâ*.

c. Le *pschent*.

2. Quel est le dieu principal des Égyptiens ?

a. Ramsès.

b. Rê.

c. Isis.

3. Comment s'appellent ces signes ?

a. Des sarcophages.

b. Des hiéroglyphes.

c. Des papyrus.

4. Que sont les pyramides ?

a. Des temples.

b. Des maisons.

c. Des tombeaux.

5. Où peut-on voir ces pyramides ?

a. À Thèbes.

b. À Louxor.

c. À Gizeh.

6. Quel est le métier le plus répandu dans l'Égypte antique ?

a. Scribe.

b. Artisan.

c. Agriculteur.

7. Avec quoi construit-on les maisons à l'époque des pyramides ?

a. Des briques.

b. Du bois.

c. De la pierre taillée.

8. Combien de saisons y a-t-il en Égypte ?

a. 4.

b. 3.

c. 2.

9. Qu'est-ce que la momification ?

a. La préparation du corps du défunt.

b. La fabrication de briques en terre crue.

c. Le recrutement des fantassins.

A

Amulette
Bijou, objet que l'on porte sur soi, censé apporter une protection magique contre le mauvais sort ou les maladies.

C

Civilisation
Ensemble des caractéristiques (culturelles, matérielles, politiques...) spécifiques à une société humaine.

Crue
Élévation rapide du niveau d'un cours d'eau, qui peut s'accompagner de débordements.

Culte
Hommage rendu à une divinité.

D

Dynastie
Lignée de souverains appartenant à une même famille.

E

Écriture démotique
Écriture cursive utilisée par les Égyptiens à partir du VIIe siècle av. J.-C. pour les écrits de la vie courante (administration, commerce). Elle remplace l'écriture hiératique, dès lors réservée aux écrits à caractère sacré.

Écriture hiératique
Forme simplifiée de l'écriture hiéroglyphique.

Égyptologie
Science qui étudie la langue et la civilisation de l'Égypte ancienne.

H

Hiéroglyphe
Signe du système d'écriture égyptien de l'époque pharaonique.

L

Limon
Dépôt de boue très fertile que la crue du Nil répandait sur les champs.

Lin
Plante cultivée pour ses fibres textiles et ses graines, riches en huile.

M

Momification
Procédé utilisé dans l'Égypte antique pour assurer la conservation du corps des défunts.

O

Obélisque
Colonne de pierre quadrangulaire terminée par une pointe pyramidale.

P

Papyrus
Plante des bords du Nil avec laquelle les Égyptiens fabriquaient les feuilles de papier utilisées par les scribes.

Pharaon
Roi de l'Égypte ancienne.

R

Rite
Ensemble de règles et de cérémonies liées à un culte religieux.

S

Sanctuaire
Partie la plus sacrée d'un édifice religieux.

Sarcophage
Cercueil de bois ou de pierre.

Scribe
Savant de l'Égypte antique qui travaillait comme fonctionnaire dans l'administration du pharaon.

V

Vizir
Premier ministre du pharaon. Il y en a d'abord eu un, puis deux à partir du Nouvel Empire.

Cherche et trouve 16-17

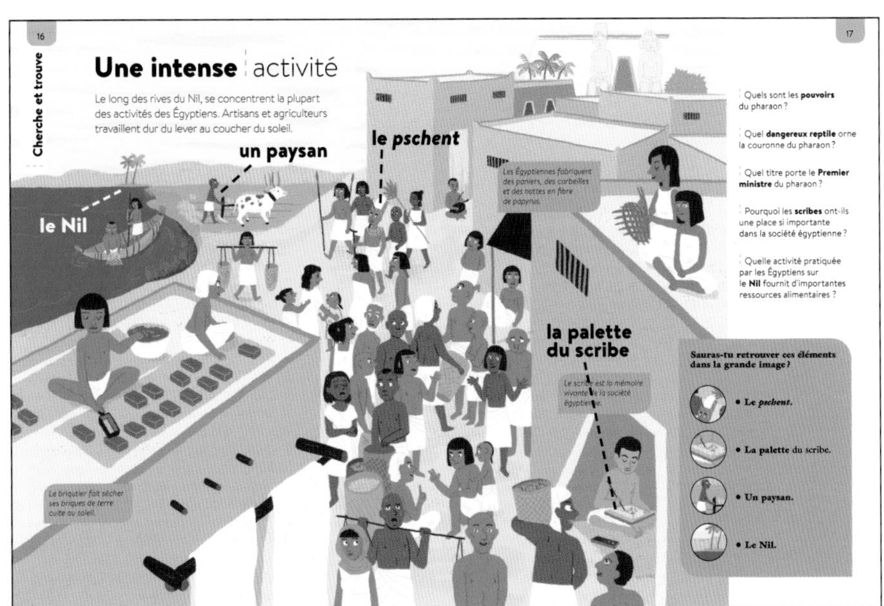

Quiz 32-33

- **Avec quel outil le scribe écrit-il ?**

Il écrit avec un calame : un roseau taillé dont il mordille la pointe avant de la tremper dans l'encre.

- **Quel est le nom du fleuve qui traverse l'Égypte ?**

C'est le Nil.

- **Comment devient-on pharaon ?**

C'est une fonction qui se transmet de père en fils. Lorsqu'un pharaon meurt, c'est un des fils de la reine, son épouse, qui prend sa place.

- **Où se trouve le second obélisque du temple de Louxor ?**

Il se trouve à Paris, place de la Concorde. L'Égypte en a fait don à la France après la découverte de Champollion.

- **Quelle découverte capitale a permis de déchiffrer l'écriture hiéroglyphique ?**

C'est la découverte de la pierre de Rosette, sur laquelle est gravé le même texte dans trois versions.

- **Quelle femme pharaon a régné sur l'Égypte pendant 22 ans ?**

C'est la reine Hatchepsout, devenue pharaon après la mort de son époux, Thoutmosis II.

- **Quelle est la plus ancienne pyramide d'Égypte ?**

C'est la pyramide à degrés du roi Djoser, érigée à Saqqarah, près de Memphis.

- **À quoi sert la momification ?**

La momification permet de conserver le corps des défunts pour la vie dans l'au-delà.

- **Qu'est-ce qu'un sarcophage ?**

C'est le cercueil dans lequel les Égyptiens plaçaient les corps momifiés des défunts.

Test 40-41

1 : c ; **2** : b ; **3** : b ; **4** : c ; **5** : c ; **6** : c ; **7** : a ; **8** : b ; **9** : a.

Ciel et espace · États-Unis d'Amérique · Explorateurs et grandes découvertes · Football · Grandes villes du monde · Première Guerre mondiale · Rois et reines